Oak Park

Mon. & Weds.	12:00-8:00
Tues., Thurs.,	
Fri. & Sat.	9:30-5:30

827-0400

12/10   6 X   8/13
10/14   7X   5/16

Insectos

Altea

Santillana Ediciones Generales S.A. de C.V.
Av. Universidad 767, Col. del Valle
México, D.F. 03100, Teléfono 5420 7530

Primera Edición: 2006

ISBN 970-770-279-6

Título original: Insects

Edición original: Kingfisher Publications Plc

Cuidado de esta edición: Gerardo Mendiola y Carlos Tejada

Traducción, adaptación y diseño de interiores: Alquimia Ediciones, S.A. de C.V.

Impreso en China

Agradecimientos
La editorial quisiera agradecer a aquellos que permitieron la reproducción de las imágenes. Se han tomado todos los cuidados para rastrear a los propietarios de los derechos de las mismas. Sin embargo, si hubiese habido una omisión o fallo la editorial se disculpa de antemano y promete, si es informada, hacer las correcciones pertinentes en una siguiente edición.
i = inferior; ii = inferior izquierda; id = inferior derecha; c = centro; ci = centro izquierda; cd = centro derecha; s = superior; sd= superior derecha; d = derecha

Portada Corbis/Zefa; 1 Frank Lane Picture Agency (FLPA)/Michael & Patricia Fogden; 2-3 Nature Picture Library (Naturepl)/Ingo Arndt; 4-5 Corbis/Michael & Patricia Fogden; 6-7 FLPA/Minden; 7sd FLPA/Panda Photo; 7id Getty Dorling Kindersley; 8i FLPA/Foto Natura; 8-9 FLAP/Roger Wilmshurst; 9d FLPA/B. Borrell Casals; 10i Ardea/Pascal Goetgheluck; 10-11 FLPA/Minden; 11sd Ardea/Steve Hopkin; 12 FLPA/Minden; 12-13 Naturepl/Ingo Arndt; 13sd Natural History Picture Agency (NHPA)/ Stephen Dalton; 14cd NHPA/James Carmichael; 14ci FLPA/Foto Natura; 14ii Naturepl/Duncan McEwan; 15 Photolibrary.com; 16 NHPA/Paal Hermansen; 17s Ardea/Steve Hopkin; 17i FLPA/Minden; 18 Photolibary.com; 19s Photolibrary.com; 19i FLPA/Derek Middleton; 20ii Naturepl/Premaphotos; 21sd FLPA/Richard Becker; 21i FLPA/Foto Natura; 22ic Science Photo Library(SPL)/Susumu Nishinaga; 22ii Naturepl/Warwick Sloss; 23s Ardea/Steve Hopkin; 23ci SPL/Nuridsany & Perennou; 23cd SPL/Susumu Nishinaga; 23id Naturepl/Ross Hoddinott; 24-25 Naturepl/Premaphotos; 24i FLPA/Foto Natura; 25id Ardea/John Mason; 26 Corbis/Anthony Bannister; 26ii FLPA/Foto Natura; 27i Naturepl/Martin Dohrn; 28ci Alamy; 28id Photolibrary.com; 29 Naturepl/Michael Durham; 29i Getty NGS; 30 Corbis/Anthony Bannister; 31s NHPA/George Bernard; 31i FLPA/Foto Natura; 32 FLPA/Minden 33sd FLPA/Derek Middleton; 33i FLPA/Minden; 34-35 Photolibrary.com; 34i Photolibrary.com; 35sd Photolibrary.com; 36 Photolibrary.com; 37s Naturepl/Martin Dohrn; Corbis/Anthony Bannister; 38 Alamy/Peter Arnold Inc.; 39s Alamy/Robert Pickett; 39i Alamy/Maximilian Weinzierl; Getty Imagebank

Fotografías por encargo en páginas 42–47 de Andy Crawford
Coordinador de proyecto y fotografía especial: Jo Connor
Gracias a los modelos Alex Bandy, Alastair Carter, Tyler Gunning y Lauren Signist

Insectos

Barbara Taylor

Contenido

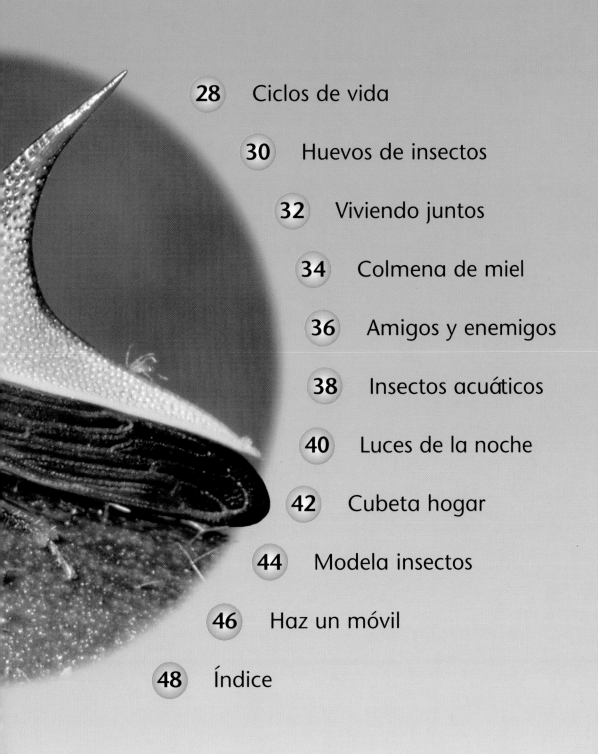

¿Qué son?

Un insecto es un animal pequeño con seis patas y cuerpo de tres partes. Un esqueleto exterior duro le cubre y protege el cuerpo como una armadura.

Caballito del diablo

Al vuelo

La mayoría de los insectos tienen uno o dos pares de alas. Las alas son solapas hechas con parte de la cubierta exterior del cuerpo. Se unen a la parte media del cuerpo del insecto, llamada tórax.

esqueleto – *estructura que sostiene el cuerpo de un animal*

Primeros insectos

Los primeros insectos vivieron en la Tierra hace casi 400 millones de años, mucho antes que hubiera gente. Este insecto quedó atrapado en la savia pegajosa que escurre de un árbol y se conservó millones de años.

¡No es insecto!

Las arañas, como ésta, no son insectos. Las arañas tienen ocho patas y sólo dos partes en su cuerpo. La cabeza y el tórax están unidos. Tampoco tienen alas.

Todo tipo de insectos

Hay millones de tipos diferentes de insectos, divididos en grupos como escarabajos, mariposas y polillas, abejas, avispas, moscas y chinches.

Avispas

Las avispas pertenecen a un grupo de insectos que incluye las abejas y las hormigas. La avispa tiene una "cintura" estrecha y pliega las alas a su cuerpo.

chinches – insectos con partes bucales chupadoras

Moscas

La mosca tiene sólo un par de alas, pero puede volar muy bien. El grupo de moscas incluye mosquitos y moscones como éste.

Mariposas

Las mariposas y las polillas tienen alas cubiertas de escamas como las tejas de un techo. En general, las mariposas son de colores brillantes y vuelan durante el día.

moscas – *insectos con sólo un par de alas*

De todos tamaños

La mayoría de los insectos son pequeños –aun los más grandes cabrían en tu mano. Eso significa que pueden vivir en espacios pequeños y no necesitan mucha comida.

Pulgas diminutas

Las pulgas viven en la piel de los mamíferos o en las plumas de las aves. Tienen garras para sujetarse y largas patas para saltar de un animal a otro.

mamíferos – *animales que se alimentan con leche materna*

Liendres molestas

Los piojos aprovechan la calidez del cabello humano, y chupan la sangre de nuestra piel. Las hembras pegan sus huevos (que se llaman liendres) en el pelo.

Weta gigante

Los wetas son grillos gigantes que viven en Nueva Zelanda. Es probable que crecieran tanto porque no había grandes mamíferos depredadores que se los comieran.

depredadores – *animales que cazan y comen otros animales*

12 Insectos atletas

Algunos insectos son como los atletas humanos. Son campeones corredores, saltadores de altura y levantadores de peso. Usan su potencia para hallar comida o pareja, o para sobrevivir.

Levantador de peso
¡Uno de estos escarabajos rinoceronte ha logrado levantar al otro! Se ha ganado la oportunidad de quedarse con las hembras.

pareja – *compañero para criar o reproducirse*

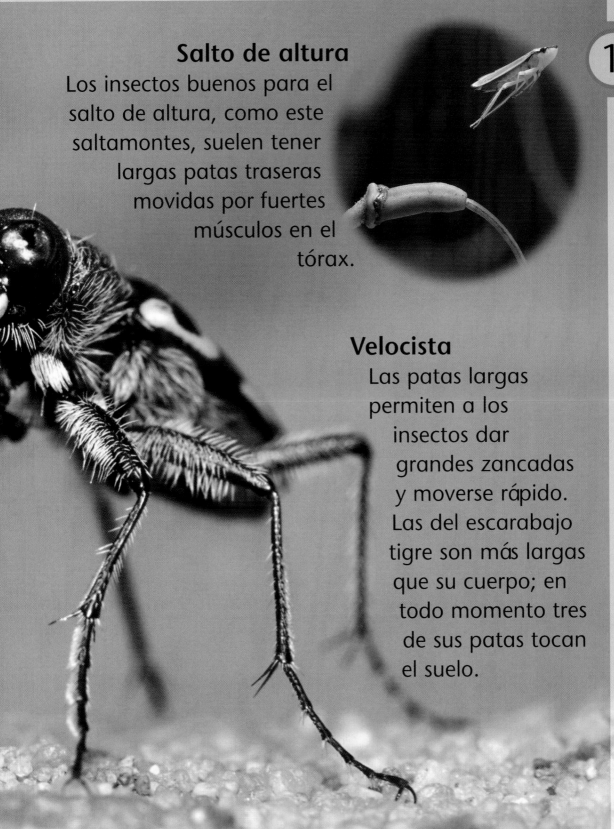

Salto de altura

Los insectos buenos para el salto de altura, como este saltamontes, suelen tener largas patas traseras movidas por fuertes músculos en el tórax.

Velocista

Las patas largas permiten a los insectos dar grandes zancadas y moverse rápido. Las del escarabajo tigre son más largas que su cuerpo; en todo momento tres de sus patas tocan el suelo.

músculos – *partes del cuerpo que producen movimiento*

Alas maravillosas

Los insectos fueron los primeros animales en volar. Les ayuda a hallar comida o pareja y a escapar del peligro, pero usan mucha energía.

Largos viajes

Las mariposas monarca vuelan miles de kilómetros cada año para huir de los fríos inviernos de Canadá. Esto se llama migración.

Cubiertas de alas

Los escarabajos tienen dos pares de alas. Al aterrizar, sus duras alas delanteras cubren y protegen las delicadas alas de vuelo.

flexible – con posibilidad de doblarse sin romperse

Alas fuertes

Una red de venas en las alas del insecto las hace fuertes y flexibles. En estas alas de cigarra se pueden ver las venas con claridad.

venas – *tubos estrechos llenos de sangre*

Colores ingeniosos

Los colores opacos ocultan a los insectos de los depredadores. Los que tienen colores brillantes o llamativos son venenosos.

Colores de advertencia

Las manchas de rojo brillante en esta polilla pimpinela son un mensaje de advertencia: "no me comas, contengo un veneno mortal".

Avispa falsa

El escarabajo avispa no puede picar y no es peligroso. Los depredadores no lo tocan porque piensan que es una avispa y puede picarlos.

Jugando al escondite

Con el camuflaje, los insectos se ocultan de los depredadores simulando ser las plantas en que viven. ¡Éste parece tener una espina en el lomo!

camuflaje – *forma, color o dibujo que ayuda al animal a ocultarse*

A la defensiva

Desde quijadas agudas hasta picaduras dolorosas y armas químicas, los insectos tienen maneras para defenderse.

¡Listos, apunten, fuego!

El escarabajo bombardero lanza veneno hirviente a sus enemigos. Éste se produce en el cuerpo de los escarabajos cuando los amenaza el peligro.

Zumbido horrible

Si se les molesta, estas cucarachas hacen un fuerte ruido sibilante al soplar por los respiraderos de sus costados. Esto asusta a los depredadores y les da tiempo para escapar.

aguijón – *aguja filosa en el cuerpo de un insecto, para inyectar veneno*

Escarabajo peleador

El escarabajo estafilino se defiende doblando su abdomen sobre el lomo como un escorpión. Al mismo tiempo, suelta un olor fétido y entrechoca sus mandíbulas.

abdomen – *parte del cuerpo que contiene el aparato digestivo*

Insectos sensibles

La vista, el tacto, el olfato y el oído de los insectos son vitales para su supervivencia. Suelen ser mucho mejores que los nuestros, pero funcionan de forma diferente.

Tacto y olfato

Los insectos usan las antenas para tocar y oler su entorno. Las antenas de este gorgojo tienen pelos especiales en la punta para detectar olores.

sentidos – *partes del cuerpo con que se detecta el entorno*

Abanicos en la cabeza

Los escarabajos agitan las antenas cuando vuelan para aumentar su tamaño. Esto les ayuda a detectar cualquier olor.

Ojos espía

Los enormes ojos de esta mosca están formados con miles de ojos muy pequeños. Así puede ver en muchas direcciones a la vez.

antenas – estructuras largas y delgadas de los insectos para el tacto y el olfato

Insectos hambrientos

Algunos insectos, como las cucarachas, comen casi cualquier cosa, pero la mayoría se alimenta con comida especial. Sus partes bucales les ayudan a sostener y picar comida sólida, o absorber líquidos.

Boca esponjosa

La mosca convierte su comida en una sopa espesa, y luego usa un cojín esponjoso (izq.) para absorberla. ¡También puede probar su comida con las patas!

partes bucales – *órganos de que se valen para alimentarse*

Mandíbulas dentadas

Los depredadores necesitan
mandíbulas afiladas y
agudas para retener
y desmenuzar a su presa.
Los que comen plantas
tienen mandíbulas romas
para moler su comida.

Con popotes

Mariposas y polillas se
alimentan de líquidos como
néctar de flores o frutas en
descomposición. Sorben
su comida con un
tubo, o probóscide,
que hace las veces
de un popote.

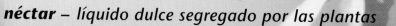

néctar – *líquido dulce segregado por las plantas*

Plantas **comestibles**

Todas las partes de las plantas son alimento para los insectos. Algunos son agricultores y cosechan sus propios cultivos.

Hojas para el almuerzo

Las hojas no contienen muchas virtudes, así que tienen que comer muchas. Los saltamontes son muy descuidados; desgarran las hojas al comer.

hongo – planta que se alimenta de materias en descomposición

Cultiva tu comida

Las hormigas cortadoras mastican parte de las hojas y hacen una composta mezclada. En esa composta cultivan hongos, así que siempre tienen alimento suficiente.

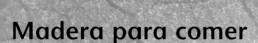

Madera para comer

La madera contiene menos bondades que las hojas, pero algunos insectos la comen. Las larvas del escarabajo del reloj de la muerte comen madera húmeda muchos años hasta llegar a adultos como éste.

larvas – *insectos jóvenes que nacen de huevo*

Son cazadores

Los insectos cazan de tres
formas: persiguen a su presa,
le saltan desde un escondrijo
o le tienden una trampa.
La mayoría cazan solos,
otros lo hacen en grupo.

¡Cuidado, mantis cerca!
Muchos mántidos parecen
hojas. Se están quietos y lanzan
sus largas patas delanteras
para capturar a un insecto.
Con sus afiladas quijadas corta
la presa y le extrae el interior.

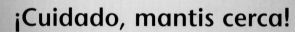

presa – *animal matado o comido por otro animal*

Bocadillos ensopados

Las moscas salteadoras cazan insectos con sus patas largas y peludas. Luego convierten las entrañas de la presa en una sopa líquida y absorben su comida.

Ahora todos a la vez

Las hormigas soldado de América tropical cazan en grupos numerosos. Se ayudan para cazar y matar a su presa. Estas hormigas soldado han capturado un ciempiés.

trópico – *zona cerca del Ecuador con clima muy cálido y seco*

Ciclos de vida

El ciclo de vida de muchos insectos es de cuatro etapas: huevo, larva, ninfa y adulto. Escarabajos, mariposas, polillas, moscas, pulgas, abejas y hormigas se desarrollan así.

1 Huevo

Una mariposa monarca pone sus huevos bajo las hojas del vencetósigo. Una semana después, de los huevos salen orugas rayadas.

2 Larva

La hambrienta oruga come y come y come. Cambia la piel varias veces al crecer. Esto se llama mudar.

oruga – *larva en forma de gusano de mariposas y polillas*

3 Ninfa

Cuando la oruga ha crecido bastante, se vuelve ninfa, o crisálida. Dentro de ésta, el cuerpo de la oruga se convierte en el de una mariposa.

4 Adulto

La ninfa se abre, y la mariposa adulta se libera. Bombea sangre a sus alas para extenderlas, y espera a que se sequen. Luego vuela en busca de una pareja.

crisálida – estuche protector de un insecto haciéndose adulto

Huevos de insectos

Casi todos los insectos empiezan a vivir como huevos. Muy pocos los cuidan. Por lo general, los ponen sobre o cerca de alimento, a salvo de depredadores y del mal tiempo.

Comida a la mano

El escarabajo pelotero hace bolas con excremento, y las lleva hasta un sitio seguro. La hembra pone los huevos dentro de la bola para que los bebés tengan comida al nacer.

eclosionar – *salir de un huevo*

Madre protectora

La tijereta hembra cuida sus huevos durante meses hasta que eclosionan. Al nacer, los bebés se parecen a su madre, pero sin alas.

Macho guardián

Esta libélula macho sostiene el cuello de la hembra mientras ella pone sus huevos en las ramas de plantas bajo el agua. Cuando los huevos eclosionan, los jóvenes viven bajo el agua el primer año.

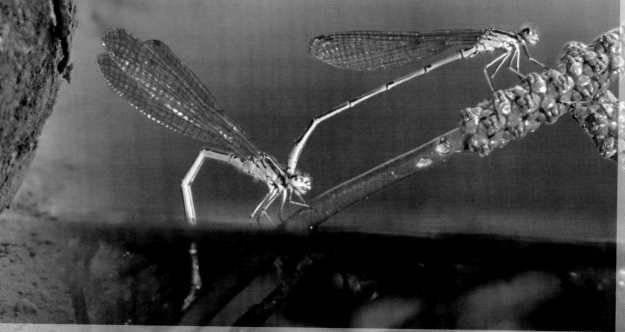

libélula – *insecto como el caballito del diablo, pero con alas del mismo tamaño*

Viviendo **juntos**

La mayoría de los insectos viven solos, pero unos viven y trabajan en grupo. Se les llama insectos sociales. Hormigas, termitas, y algunas abejas y avispas, son insectos sociales.

Gobernante real

Una termita reina grande y gorda pone sus huevos en un nido. Las obreras retiran los huevos y le llevan comida a su reina.

social – *vida en grupo con otros del mismo tipo o especie*

Nido de papel

Las avispas de papel hacen su nido masticando madera y mezclándola con su saliva para hacer "papel". Dentro del nido hay muchas cajas pequeñas llamadas celdas, donde se desarrollan las jóvenes.

Tejido especial

Las hormigas tejedoras trabajan en equipo para hacer un nido de hojas con seda pegajosa. Una hormiga trabajando por su cuenta no es lo bastante fuerte para hacerlo.

reina – *hembra que pone huevos en un grupo de insectos sociales*

Colmena de miel

34

La gente hace nidos artificiales, o colmenas, para las abejas melíferas. Éstas fabrican miel con néctar de flores. Los apicultores la recogen para que la coma la gente.

Ciudad de cera

Las abejas melíferas usan la cera de sus cuerpos para hacer filas de cajas de seis lados, o celdas, que se ajustan entre sí y hacen una lámina delgada llamada panal.

artificial – *hecho por el hombre*

Abeja reina

La abeja grande al centro es una melífera reina. Pone todos los huevos en una colmena de abejas.

Apicultor

Los apicultores sacan los panales para revisar la miel y las crías del interior. Usan ropa especial para protegerse de los aguijones de las abejas.

apicultor – *persona que cuida las colmenas de abejas melíferas*

Amigos y enemigos

Muchos insectos son amigables pues ayudan al desarrollo de las semillas y son importantes en las cadenas alimentarias. Algunos causan problemas al comerse las cosechas o trasmitir enfermedades.

Portadores de polen

Muchas flores dependen de los insectos para que el polen llegue a otras flores del mismo tipo. El polen se ha de unir a los huevos dentro de las flores antes que las semillas se desarrollen.

Chupasangre

Los mosquitos hembra chupan sangre para que sus huevos se puedan desarrollar. Al alimentarse, algunos transmiten males como malaria y fiebre amarilla.

Cadena alimentaria

De aves y ranas, a osos y bebés de cocodrilo, muchos animales comen insectos. Son ricos en proteína, que es buena para formar cuerpos.

cosecha – cultivo de plantas para tener alimento y materiales

Insectos acuáticos

Muchos insectos viven en agua dulce,
donde abunda la comida y hay
protección contra depredadores.
Algunos patinan sobre la
superficie, otros nadan,
otros se ocultan en el
fondo.

Guardando aire

Los grandes escarabajos
buceadores toman aire de
la superficie. Lo guardan
bajo las cubiertas de sus
alas, y así pueden respirar
cuando están bajo el agua.

agua dulce – *el agua de lagos, arroyos, estanques y charcos*

Caminante del agua

Los patinadores acuáticos
pueden caminar sobre la
superficie del agua. Sus largas
patas distribuyen el peso en un
área amplia para que no se
hundan.

Caballitos bebé

Las crías del caballito del
diablo viven bajo el agua,
y los adultos en el aire.
Son fieros cazadores y
comen peces.

Luces de la noche

Los insectos brillan en la oscuridad para atraer una pareja o una presa, advertir a sus amigos de un peligro, o decir a los depredadores que son venenosos.

Ven y atrápame

Las luciérnagas y los gusanos de luz son escarabajos que salen de noche. Algunos brillan todo el tiempo, otros encienden y apagan su luz con un patrón particular. Estas señales luminosas se usan para conseguir pareja.

patrón – *serie que se repite constantemente*

Cortinas de caverna

Pequeñas moscas de Nueva Zelanda brillan en gruesos hilos que cuelgan del techo de las cuevas. Las presas son atraídas a la brillante cortina y quedan atrapadas en los hilos.

Bichos brillantes

Una luciérnaga produce un resplandor de luz cuando el oxígeno se mezcla con químicos en el interior de su abdomen. Esto funciona como en las barras de luz fosforescente.

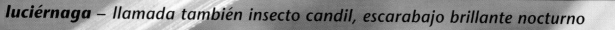

luciérnaga – *llamada también insecto candil, escarabajo brillante nocturno*

Cubeta hogar

Dormitorio de insectos
Hazle una casa a los insectos que viven cerca de ti. Dibuja a los bichos que se meten en ella y apunta sus nombres.

Materiales
- cubeta de plástico
- pluma y libreta
- piedras, hojas y hierba

Busca un sitio húmedo y sombreado cerca de casa. Pon la cubeta voletada y equilíbrala sobre unas piedras, hojas y hierba. Déjala toda la noche y luego mira si se metió algún animal.

Cuando hayas acabado, recuerda soltar a los animales.

Diseño de mariposas

Dibuja una mariposa

Los diseños en el ala de una mariposa son iguales a los del otro lado. Pinta tu mariposa con lados iguales.

Materiales
- cartulina
- lápiz
- tijeras
- pintura
- pincel
- limpiador de pipas

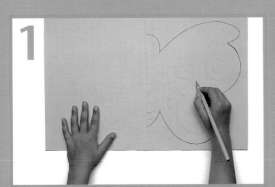

Dobla la cartulina por la mitad y luego extiéndela. Dibuja la mitad de una mariposa en uno de los lados.

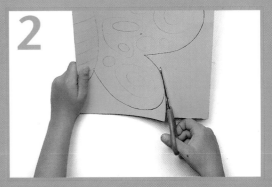

Vuelve a doblar la cartulina dejando a la vista tu dibujo. Corta la mariposa con cuidado.

Con la cartulina extendida, pinta uno de los lados con pintura espesa. Dobla tu mariposa por la mitad y presiónala.

Abre la cartulina para ver completa la mariposa y haz las antenas con limpiadores de pipas

Modela

insectos

Haz una catarina

Con papel maché haz una catarina gigante. Píntala de rojo y negro para que se vea como una catarina real. Los colores brillantes de la catarina advierten a los depredadores que es venenosa y sabe mal.

Materiales

- un globo
- vaselina
- pincel

- periódico
- pasta de papel tapiz
- tijeras

- pinturas
- limpiador de pipa
- pegamento o cinta adhesiva

Pide a un adulto que te ayude a inflar el globo. Aplica una ligera capa de vaselina en todo el globo y luego lávate las manos.

Cubre todo el globo con tiras de periódico. Ponle pasta de papel tapiz a todo el papel y repite la operación al menos cinco veces.

3

Pon a secar el globo en un sitio cálido. Cuando se endurezca la superficie, corta cuidadosamente en dos el globo con las tijeras.

4

Pinta el globo con los colores de la catarina. Usa limpiadores de pipa para hacer las patas, y pégalas con goma o con cinta adhesiva.

Busca en libros si hay catarinas de otros colores diferentes y pinta la otra mitad de papel maché en esos colores.

Haz un móvil

Cuelga un móvil colorido cerca de una ventana, o afuera, y mira los insectos volar alrededor de la flor cuando sopla el aire.

catarina

Materiales
- cartulina de colores
- lápiz
- tijeras
- pincel
- pinturas
- alambre delgado
- cuerda
- papel
- hilo grueso
- delantal

Dibuja una flor grande en la cartulina de color y recórtala por la orilla. Pinta la flor con los colores que quieras.

Con un adulto, haz un aro de alambre. Átale cuatro trozos grandes de cuerda y anuda las puntas para colgar el móvil.

3

Calca o copia los insectos de esta página o dibuja en cartulina los que quieras. Córtalos y píntalos para que parezcan insectos.

4

Pide a un adulto que haga hoyos pequeños en la flor y en los insectos para que los ates al aro de alambre. Cuelga tu móvil.

libélula

abeja

Insecto de caparazón

Índice